CAVALLINI

30 CAPRICCI

PER CLARINETTO

(Revisione di Alamiro Giampieri)

30 CAPRICES
pour Clarinette

30 CAPRICES
for Clarinet

30 CAPRICEN
für Klarinette

30 CAPRICHOS
para Clarinete

RICORDI

E.R. 1202

INDICE DEI TRENTA CAPRICCI

composti da

ERNESTO CAVALLINI

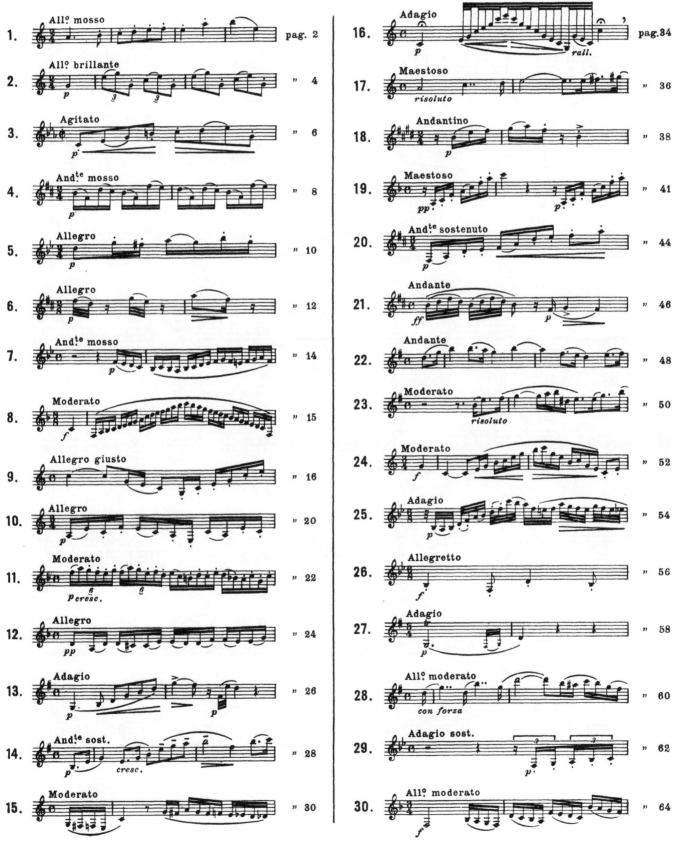

Ernesto Cavallini *(1807-1874)*

30 CAPRICCI

(Alamiro Giampieri)

PER CLARINETTO

1. Allegro mosso

4

Allegro brillante

Opp.

Opp.

6

8

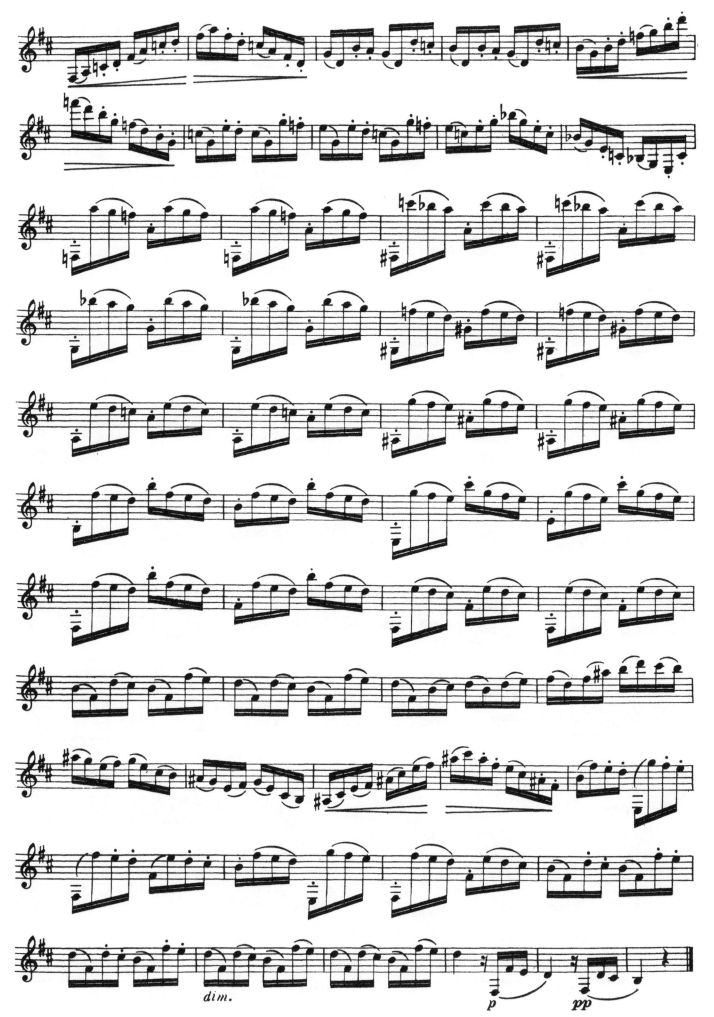

dim.

p   pp

Allegro

6.

14

Andante mosso

7.

Allegro giusto

9.

Allegro

10.

12.

14.

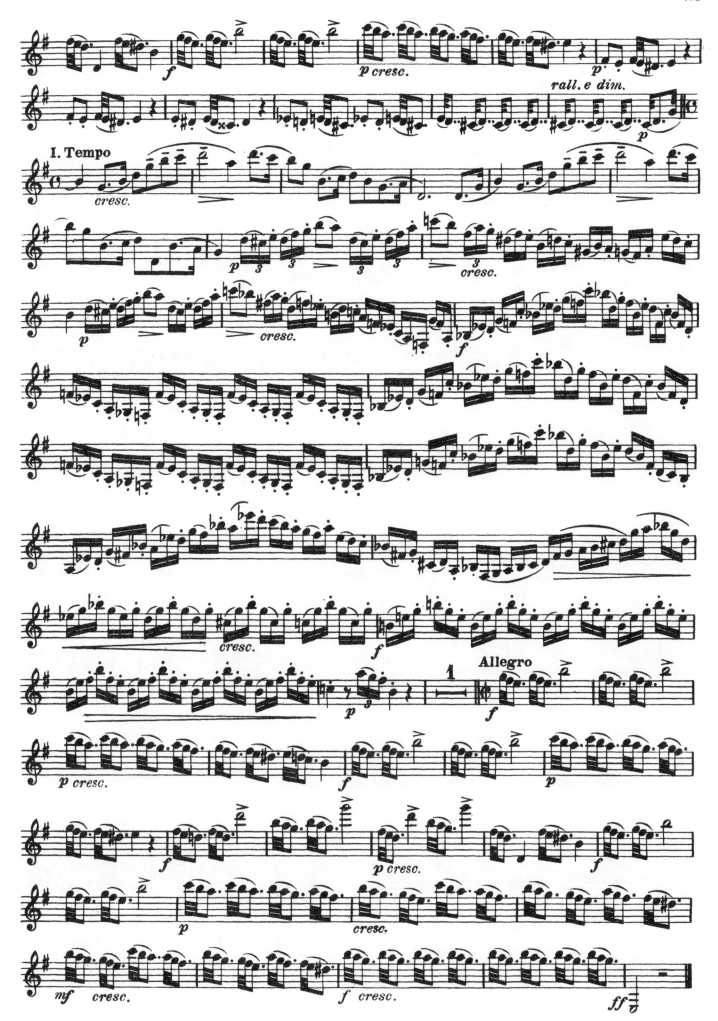

16. Adagio

Allegro

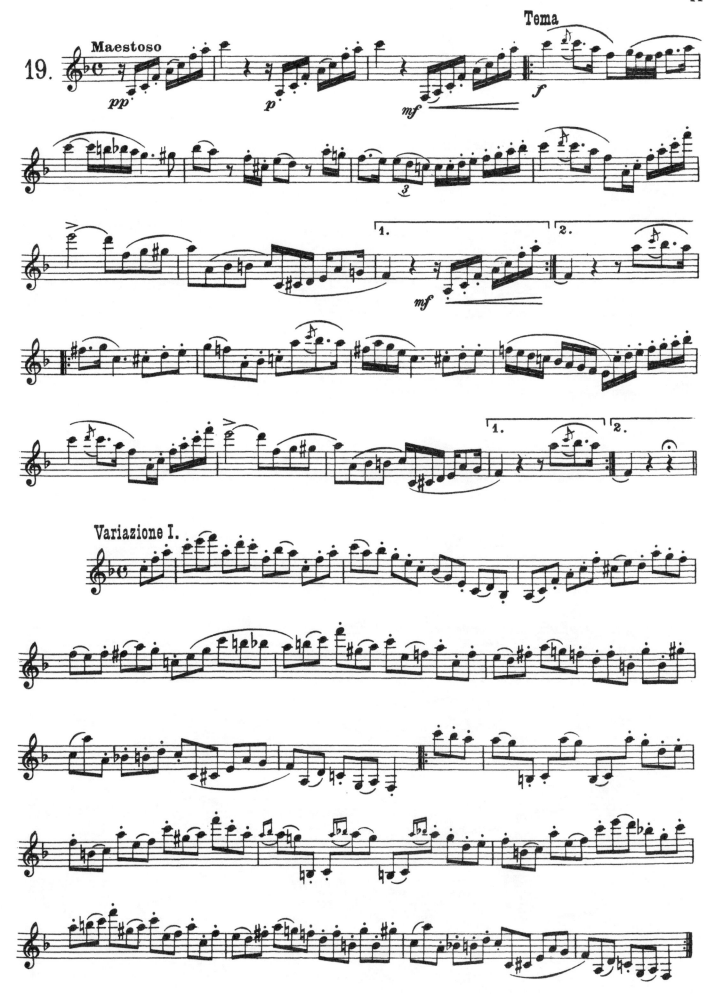

42

Variazione II.

Variazione III.

Minore
Adagio

Variazione IV.
I. Tempo

Variazione III.
Meno

Variazione IV.
Andante sostenuto

25.

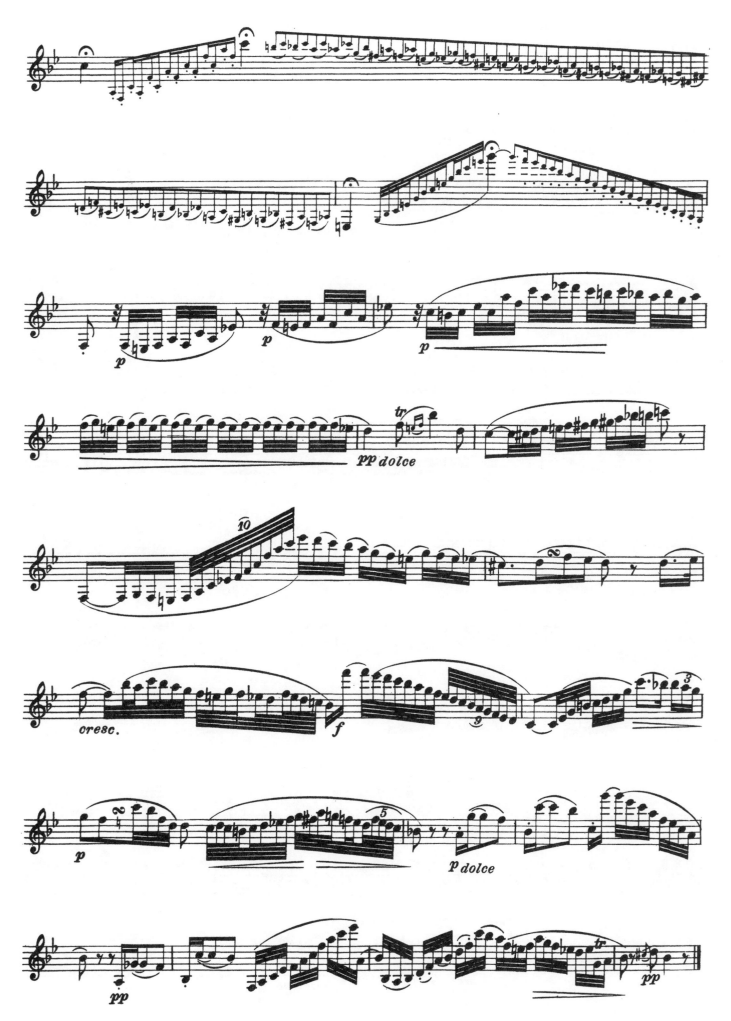

E.R. 1202

26.

Adagio sostenuto

29.

30.

Nuove edizioni per Clarinetto

CASTELNUOVO-TEDESCO
Sonata per cl. e pf. op.128 (+ p.s.) *(Garbarino)*
132287

DEMNITZ
Studi elementari *(Garbarino)*
ER 2774

DONIZETTI
Studio primo *(Garbarino)*
ER 2915

GARBARINO
Il clarinetto. Emissione e tecnica
ER 2786
Dialoghi. 20 duetti per 2 cl.
ER 2772

MAGNANI
10 Studi capriccio di grande difficoltà per cl. in si bem. *(Garbarino)*
ER 2854

MOZART
6 Duetti concertanti per 2 cl. *(Garbarino)*
– Fasc.I: Duetti n.1, 2, 3
133219
– Fasc.II: Duetti n.4, 5, 6
133685

NOCENTINI
50 Studi di meccanismo *(Garbarino)*
ER 2809

NOFERINI
6 Studi di tecnica seriale per cl. in si bem.
ER 2707

ROSSINI
Fantaisie per pf. e cl. (+ p.s.) *(Joppig)*
134918

SAVINA
Studi sulle scale e sugli intervalli. Fasc. I
ER 2917

SCARPONI
10 Studi
ER 2920

SCHUMANN
Pezzi fantastici per cl. e pf. op.73 *(Garbarino)*
ER 2765

STARK
24 Studi di virtuosismo op.51 *(Garbarino)*
– Fasc. I
ER 2817
– Fasc. II
ER 2818
24 Studi in tutte le tonalità op.49 *(Garbarino)*
ER 2768
Studi sugli arpeggi op.39 *(Tirincanti)*
ER 2816

VERDI
Rigoletto per 2 cl. (+ p.s.) *(Joppig, Carulli)*
134920

COMPOSIZIONI PER FLAUTO

RICORDI

STRUMENTI A FIATO
METODI, STUDI, REPERTORIO

FLAUTO

Ancillotti
Metodo per fl. *(ER 2899)*

Andersen
9 Studi dall'op.15, 60, 63 *testo in ing, ita, ted* (prescritti dai programmi per gli esami di diploma nei Conservatori di musica) *(Fabbriciani)* (ER 2841)

Briccialdi
24 Studi per fl. *(Fabbriciani)* (ER 2859)

Brochot
Suoniamo il flauto. Metodo elementare (ER 2887)

Fürstenau
26 Esercizi op.107. *Testo in ing, ita, ted (Fabbriciani)*
- Fasc. I (ER 2811)
- Fasc. II (ER 2812)

Galli
30 Esercizi in tutti i toni maggiori e minori preceduti dalle rispettive scale op.100*(Veggetti)* (ER 2909)
L'indispensabile metodo pratico per fl. (ER 2502)

Herman
3 Grandi studi di stile per fl. con accomp. ad lib. di un secondo fl. (n.4-6 dalla raccolta di 12 studi) *Testo in ing, ita, ted (Ancillotti)* (ER 2823)

Hugues
40 Esercizi per fl. op.101 *Testo in ing, ita, ted (Fabbriciani)* (ER 2797)
40 Nuovi studi per fl. op.75 (ER 2293)
La scuola del flauto. Divisa in 4 gradi ed esposta in duettini originali e progressivi op.51 (per 2 fl.) *(Veggetti)*
- I grado (ER 935)
- II grado (ER 936)
- III grado (ER 937)
- IV grado (ER 938)
30 Studi per fl. op.32 (ER 2292)

Köhler
Studi op.33. *Testo in ing, ita, ted (Fabbriciani)*
- Vol. 1: 15 studi facili (ER 2792)
- Vol. 2: 12 studi di media difficoltà (ER 2793)
- Vol. 3: 8 studi difficili (ER 2794)

Piazza
Metodo popolare per fl. *(Giampieri)* (ER 2910)

Pugliese
Metodo elementare per fl. (ER 2721)

Torchio
Passi difficili e "a solo" per fl. e ottavino.
- Vol. I (ER 2201)
- Vol. II (ER 2202)

Tulou
Metodo popolare per ottavino*(Andreoni)* (ER 2918)

FLAUTO, 2 FLAUTI, FLAUTO E PIANOFORTE

Cortese
Introduzione e allegro op.40 + p.s. (130249)

Debussy
Syrinx (133107)

Dupuy
Concerto per flauto in re min. *(Nicolet, Petrucci)* (GZ 6445)

Haendel
6 Sonate per 2 fl. soli. *Intr. in ing. it. ted. (Petrucci)* (GZ 6325)

Kuhlau
3 Duetti brillanti per 2 fl. op. 80 + p.s. *(Veggetti)* (ER 2197)
3 Duetti concertanti per 2 fl. op. 10 + p.s. *(Veggetti)* (ER 2196)

Mercadante
7 Capricci per fl. *(Caroli)* (GZ 5980)

Rota
5 Pezzi facili per fl. e pf. + p.s. (133175)

Varèse
Density 21.5 (134978)

Verdi
La traviata per fl. e pf. Fantasia op.248 di E.Krakamp + p.s. (reprint) *(Krakamp)* (134110)

OBOE

Arcamone
12 Studi per oboe (ER 2255)

Brandaleone
6 Capricci per oboe (ER 1929)

Crozzoli
Passi difficili e "a solo" da opere liriche italiane per oboe e per corno inglese.
- Vol. I (ER 2722)
- Vol. II (ER 2723)
- Vol. III (ER 2724)
Le prime lezioni di oboe con le scale maggiori e minori (ER 2736)

Giampieri
Metodo progressivo per oboe *Testo in ing, ita, spa, ted* (ER 2064)
16 Studi giornalieri di perfezionamento per oboe (ER 1849)

Paessler
24 Larghi per oboe (ER 2711)

Pasculli
15 Capricci per oboe a guisa di studi *Testo in ing, ita, ted (Borgonovo)* (ER 2800)

Prestini
Raccolta di studi per oboe. Utili ad un primo e contemporaneo sviluppo dell'agilità e del canto (ER 2199)
12 Studi di carattere moderno e sul cromatismo armonico (ER 2046)

Salviani
Studi per oboe (tratti dal metodo) *(Giampieri)*
- Vol. I (ER 2367)
- Vol. II (ER 2368)
- Vol. III (ER 2369)
- Vol. IV (ER 2370)

Singer
Metodo teorico-pratico per oboe.
- Parte III: Arpeggi. Esercizi per lo sviluppo dei medesimi (ER 966)
- Parte IV: 13 Studi (ER 967)
- Parte V: 20 Grandi studi (ER 968)
- Parte VI (ER 969)

CLARINETTO

Baermann, H. J.
12 Esercizi per cl. op.30 *(Savina)* (ER 1651)

Baermann, K.
16 Grandi studi da conc. (dall'op.64) *(Savina)* (ER 2476)

Blatt
12 Capricci in forma di studio per cl. op.17*(Giampieri)* (ER 2455)
24 Esercizi di meccanismo per cl. *(Giampieri)* (ER 2456)

Cavallini
30 Capricci*(Giampieri)* (ER 1202)

D'Elia
12 Grandi studi per il virtuosismo tecnico del cl. Böhm *Testo in fra, ing, ita, spa* (ER 909)

Demnitz
Studi elementari per cl. *Testo in ing, ita, ted (Garbarino)* (ER 2774)

Gabucci
60 Divertimenti per la lettura a prima vista e il trasporto (ER 2541)
Studi di media difficoltà (ER 2169)

Gambaro G.B.
12 Capricci per cl. *(Giampieri)* (ER 2111)
22 Studi progressivi per cl. *(Giampieri)* (ER 2112)

Gambaro V.
21 Capricci per cl. *(Giampieri)* (ER 1045)

Garbarino
Il clarinetto. Emissione e tecnica *Testo in ing, ita* (ER 2786)
Dialoghi. 20 duetti per 2 cl.
ER 2772

Giampieri
Metodo progressivo per lo studio del cl. sistema Böhm.
- Parte I (ER 1521)
- Parte II (ER 1522)
Passi difficili e "a solo" di opere teatrali e sinf. per cl. e cl. basso.
- Vol. I (ER 1780)
- Vol. II (ER 2096)
Raccolta di esercizi e studi per cl. (ER 2183)
12 Studi moderni per cl. (ER 1835)

Klosé
Metodo completo per cl. *Testo in fra, ita (Giampieri)* (ER 2487)
20 Studi caratteristici per cl. *(Giampieri)* (ER 2006)
20 Studi di genere e di meccanismo*(Giampieri)* (ER 2004)

Lefèvre
60 Esercizi scelti dal metodo per cl. *(Giampieri)* (ER 1784)
Metodo per cl. *(Giampieri)*
- Vol. I (ER 2035)
- Vol. II (ER 2036)
- Vol. III (ER 2037)
Metodo popolare per cl. *(Giampieri)* (ER 2030)
20 Studi melodici per cl., saxofono, cl. basso*(Savina)* (ER 2468)

Magnani
10 Studi capriccio di grande difficoltà per cl. in si bem. *(Garbarino)* (ER 2854)

Marasco
10 Studi di perfezionamento*(Giampieri)* (ER 1619)

Müller
30 Studi in tutte le tonalità*(Giampieri)* (ER 1327)

Nocentini
50 Studi di meccanismo *Testo in ing, ita, ted (Garbarino)* (ER 2809)

Noferini
6 Studi di tecnica seriale per cl. in si bem. (ER 2707)

Savina
10 Grandi studi. Preparazione alla tecnica orchestrale mediante spunti e frammenti sinfonici (ER 2437)
Studi sulle scale e sugli intervalli. Fasc. I (ER 2917)

Scarponi
10 Studi per cl. *Intr. in ing, ita* (ER 2920)

Stark
24 Studi di virtuosismo per cl. op.51. *Testo in ing, ita, ted (Garbarino)*
- Fasc. I (ER 2817)
- Fasc. II (ER 2818)
24 Studi per cl. in tutte le tonalità op.49 *Testo in ing, ita, ted (Garbarino)* (ER 2768)
Studi per cl. sugli arpeggi op.39 *Testo in ing, ita, ted (Tirincanti)* (ER 2816)

2 CLARINETTI, CLARINETTO E PIANOFORTE

Brahms
Sonata per cl. e pf.: op.120 n.2 in mi bem. + p.s. *(Giampieri)* (ER 2165)

Castelnuovo-Tedesco
Son. per cl. e pf. op.128 + p.s. *(Garbarino)* (132287)

Debussy
Première rhapsodie pour clarinette et piano + p.s. *Testo in ing, ita, ted (Garbarino)* (133084)

Mendelssohn-Bartholdy
Son. per cl. e pf. in mi bem. + p.s. *Testo in ing, ita, ted (Garbarino)* (ER 2777)

Mozart
Concerto per cl. K.622 in la (rid) + p.s. *(Giampieri)* (ER 2132)
- (rid) + p.s. (libera rid. per cl. e pf.) *(Giampieri)* (ER 2498)
6 Duetti concertanti per 2 cl.: Fasc. II: Duetti nn. 4, 5, 6 *(Garbarino)* (133685)
Quintetto per cl. K.581 in la (rid) + p.s. (libera rid. in forma di divertimento per cl. e pf.) *(Giampieri)* (ER 2497)

Rossini
Fantaisie per pf. e cl. +p.s. *testo in ing, ita, ted* (reprint) *(Joppig)* (134918)

Rota
Sonata in re per cl. e pf. + p.s. (133179)

Schumann
Pezzi fantastici per cl. e pf. op.73 + p.s. *Testo in ing, ita, ted (Garbarino)* (ER 2765)

Verdi
Rigoletto. Fantasia di concerto per cl. e pf. (rid) + p.s. *(Giampieri, Bassi)* (127545)
Rigoletto per 2 cl. (rid) + p.s. *testo in ing, ita, ted* (reprint) *(Joppig, Carulli)* (134920)
La traviata. Fantasia da concerto per cl. e pf. (rid) + p.s. *(Giampieri, Lovreglio)* (127546)

Weber
Conc. per cl.: n.1 in fa min. op.73 (rid) +p.s. *(Giampieri)* (ER 2135)
- n.2 in mi bem. op.74 (rid) +p.s. *(Giampieri)* (ER 2439)
Concertino per cl. e orch. op.26 (rid) +p.s. *(Giampieri)* (ER 2440)
Gran duo concertante per cl. e pf. op.48+p.s. *testo in ing, ita, ted (Garbarino)* (ER 2764)

FAGOTTO

Gatti
22 Grandi esercizi per fagotto (ER 2914)

Giampieri
Metodo progressivo per fg. (ER 2268)
16 Studi giornalieri di perfezionamento per fg. (ER 1852)

Krakamp
Metodo per fg. *(Muccetti)* (ER 2610)

Orefici
Studi di bravura (ER 746)

Ozi
6 Grandi sonate in forma di duetto (dal "Metodo originale")*(Muccetti)* (ER 2588)
Metodo popolare per fg. *(Torriani)* (96554)

Romani
Divertimenti (ER 2878)

Stadio
Passi difficili e "a solo" per fg. (ER 1221)

TROMBA, CORNETTA

Caffarelli
100 Studi melodici per il trasporto della trb. e congeneri. Corso completo (ER 2522)

Cardoni
Introduzione allo studio della cornetta (129327)

Ceccarelli
18 Studi seriali per trb. in si bem. (ER 2737)

Gatti
Gran metodo teorico pratico progressivo per cornetta a cilindri e congeneri. *(Giampieri)*
- Parte I (ER 2393)
- Parte II (ER 2394)
- Parte III (ER 2395)
10 Studi di perfezionamento per cornetta sola (ER 2480)

Peretti
Nuova scuola d'insegnamento della trb. in si bem. (cornetta) e congeneri.
- Parte I (ER 644)
- Parte II (ER 645)

Verzari
Esercizi giornalieri *Testo in ing, ita* (ER 2881)
Esercizi sull'emissione dei suoni fondamentali e armonici della tromba *Intr. in ing, ita* (ER 2916)
16 Studi caratteristici (ER 2855)
Studi di tecnica per lo sviluppo degli armonici della trb. *Testo in ing, ita* (ER 2849)

CORNO

Ceccarelli
Scuola d'insegnamento del corno a macchina e del corno a mano. Vol. I *Testo in ita, spa* (ER 1037)

Fontana
Passi difficili e "a solo" per corno (ER 663)

Giuliani
Esercizi giornalieri per corno. Armonici, tecnica dello staccato e legato e coloristica della musica d'oggi *Testo in ing, ita, ted* (ER 2860)

Mariani
Metodo popolare par corno a cilindri (in chiave di violino) *(Grigolato)* (129379)

Rossari
Esercizi per il corso inferiore di corno *(Giuliani)* (ER 2882)
Esercizi per il corso superiore di corno*(Giuliani)* (ER 2883)

Zanella
5 Studi per corno in fa *Testo in ing, ita, ted* (reprint) *(Lonoce)* (ER 1908)

CORNO E PIANOFORTE

Rota
Castel del Monte. Ballata per cr. e orch. (rid) + p,s, Rid. dell'autore (135040)

SAXOFONO

Cuneo
Metodo completo per saxofono contralto in mi bem. op. 207 (ER 1746)
Scale e 24 studi in tutti i toni per saxofono in mi bem. op.197 (ER 1525)

Giampieri
Metodo progressivo per saxofono (ER 2011)
16 Studi giornalieri di perfezionamento per saxofono (ER 2051)

Orsi
Metodo popolare per saxofono (sopranino, soprano, contralto, tenore, baritono, basso) *(Giampieri)* (ER 2908)

Salviani
Studi per saxofono (tratti dal metodo per oboe). *(Giampieri)*
- Vol. I (ER 2297)
- Vol. II (ER 2298)
- Vol. III (ER 2299)
- Vol. IV (ER 2300)

TROMBONE

Gatti
Gran metodo teorico pratico progressivo (in chiave di basso) per trbn. tenore a cilindri e congeneri. (tratto dal metodo per cornetta) *(Giampieri)*
- Parte I (ER 2419)
- Parte II (ER 2420)

La Vista
13 Studi melodici per trbn. tenore a coulisse (ER 2889)

Mazzoni
Studi giornalieri di perfezionamento per trbn. a tiro e congeneri (Con cenni riassuntivi sulla respirazione) *Testo in ing, ita* (ER 2888)

Peretti
Metodo per trbn. a tiro (ER 914)
Nuova scuola d'insegnamento del trbn. tenore a macchina e congeneri.
- Parte I (ER 751)
- Parte II (ER 752)

Pugliese
Metodo elementare per trbn. a tiro. Parte II *Testo in ing, spa* (BA 12446)

TROMBONE E PIANOFORTE

Rota
Concerto per trombone e orch. (rid) + p.s. *(Gatti Aldrovandi)* (131534)